Julia Blersch

DER KLEINE ROSENKRANZ ZUM PRAGER JESUSKIND

„...wenn ihr nicht werdet wie die Kinder...“ Mt 18,3

für Kinder

und kindliche Herzen

fe

1. Auflage 2023

Hauptstr. 22, 88353 Kisslegg
www.fe-medien.de

Layout: Renate Geisler
Bilder: Julia Blersch
Druck: orthdruk, Białystok, Polen

ISBN: 978-3-86357-380-5

Inhalt

Vorwort der Autorin

Erst in den letzten Jahren habe ich die Verehrung des Prager Jesuleins kennen- und lieben gelernt.
Auf der Suche nach Lektüre und Bildmaterial über den kleinen Rosenkranz und seine zwölf Geheimnisse für meine eigenen Kinder wurde ich nicht wirklich fündig und begann selbst zu malen und zu schreiben.
Das Gestalten dieses Büchleins wurde für mich zu einer intensiven Glaubens-und Gebetserfahrung. Die Bilder mögen nicht mit den Augen der Kunstkritiker angesehen werden.
Der Autor des Klassikers „Der kleine Prinz" liebte das Prager Jesulein, und es war ihm wohl Vorlage und Inspiration zu seiner Hauptfigur. Vielleicht können die Bilder meines Büchleins mit seinem berühmten Satz verstanden werden:

„Man sieht nur mit dem Herzen gut. Das Wesentliche ist für die Augen unsichtbar."
(Antoine de Saint-Exupéry)

Liebe Kinder!

Das Jesuskind liebt jedes einzelne Kind so sehr, das kann sich niemand vorstellen.
Es will jedem ganz nahe sein und es freut sich, wenn wir mit ihm sprechen, wenn wir unsere Freuden mit ihm teilen, und auch, wenn wir ihm unsere Sorgen, unsere Ängste und unsere Traurigkeit anvertrauen.
Der Himmelskönig in Kindergestalt will nahe bei den Kindern sein. Er ist ein Gott der Liebe, des Friedens, des Lebens und er liebt die Kleinen und Unschuldigen ganz besonders!
Das Jesuskind hat auch eine Bitte an euch Kinder:
Ihr kennt alle die Geschichte von Weihnachten, den Hirten, den Drei Weisen im Morgenland, König Herodes, der Flucht nach Ägypten und dann dem schrecklichen Kindermord in Bethlehem.
Der böse Geist des Herodes weht auch in unserer heutigen Zeit. Viele Kinder werden schlecht behandelt und ausgenutzt.
So viele Kinder, die noch nicht geboren sind, dürfen nicht leben. Sie werden noch im Mutterleib getötet.
Wir können Jesus helfen, dieses schlimme Töten zu beenden. Er gab uns die Kraft des Gebetes – mächtiger als jede Waffe! Der kleine Rosenkranz zum Prager Jesuskind dauert nicht lang, aber in den Geheimnissen der Kindheit und der Heiligen Familie liegt eine besondere Kraft. Gott Vater wird dem Jesuskind und seinen kleinen Freunden keine Bitte verwehren! Faltet die Hände und kommt mit auf die Reise zu den Geheimnissen der ersten zwölf Lebensjahre unseres Himmelskönigs Jesus Christus.

Eure Julia

Die Legende von der Entstehung des Prager Jesuskindes

Einer alten Legende nach entstand die Statue des Prager Jesuskindes in einem spanischen Kloster Mitte des 16. Jahrhunderts.
Ein einfacher Mönch, genannt Bruder Josef, fegte einst mit einem Besen den Klostergang, als auf einmal ein liebreizendes kleines Kind in einem weißen Hemdlein vor ihm stand und zu ihm sprach:
„Bruder Josef, du kannst aber schön fegen!“ Erstaunt blieb der Mönch stehen. Das Kind sprach weiter:
„Kannst du denn auch ein AVE beten?“
Verlegen begann der Mönch ein AVE aufzusagen, als er aber bei der Stelle ankam, wo es heißt: Gesegnet ist die Frucht deines Leibes, Jesus, – da sagte das Kind: „Das bin ich!“ Daraufhin war es verschwunden.

Viele Jahre dachte der Mönch mit Sehnsucht an diese wunderbare Erscheinung, die sein Herz mit Glückseligkeit erfüllt hatte, bis eines Tages wieder das bekannte Stimmlein zu ihm sprach: „Bruder Josef, mach eine Figur von mir, so wie du mich gesehen hast!"
Sogleich machte der Mönch sich an die Arbeit. Eine Figur nach der anderen entstand unter seinen Händen, aber nie war er zufrieden.
Bis ihn eines Nachts auf einmal, von wunderschönem Licht umgeben, das Jesuskind wieder besuchte und ihm Modell stand.
Glückselig begann der Mönch, sein Abbild zu modellieren: So entstand die weltberühmte Statue.
Der alte Mönch starb noch in dieser Nacht. Welche Freude er wohl hatte, mit seinem kindlichen Himmelskönig mitgehen zu dürfen in das wunderbare Reich Gottes …
Über Umwege gelangte die Figur nach Prag, wo sie bis heute steht und verehrt wird. Zahlreiche wundersame Geschichten von Heilungen, Bekehrungen, Rettung aus Gefahr und Unheil bis in unsere Zeit sind bekannt und niedergeschrieben.

Die Entstehung des kleinen Rosenkranzes zum Prager Jesuskind

Der Rosenkranz zum Prager Jesuskind geht der Überlieferung nach zurück bis in das Jahr 1636. Eine junge Nonne aus Frankreich, Margarete vom Allerheiligsten Sakrament, war so erfüllt von der Liebe zum göttlichen Jesuskind und seiner heiligen Kindheit, dass dieser kleine Rosenkranz als Erweiterung des herkömmlichen bekannten Rosenkranzes entstand. Das Jesuskind offenbarte sich ihr mit dem ausdrücklichen Wunsch, diese Geheimnisse während seiner ersten zwölf Lebensjahre mögen so gebetet und verbreitet werden.

In Variationen wird der kleine Rosenkranz zum Jesuskind oder Prager Jesuskind auf der ganzen Welt gebetet.

IHS

Der kleine Rosenkranz zum Prager Jesuskind

Der kleine Jesuskind-Rosenkranz besteht aus einem Kreuz, drei Extraperlen und zwölf Perlen für die verschiedenen Geheimnisse der zwölf ersten Lebensjahre des Jesuskindes.
Warum Perlen? Vielleicht könnte man es so sehen:
Jeder von uns ist wie eine kostbare Perle Gottes, der uns einmalig erschaffen hat. Zusammen ergeben wir einen wunderschönen Rosenkranz, beschützt von unserer allerliebsten Mutter, der Jungfrau und Gottesmutter Maria.

So wird der kleine Rosenkranz gebetet:

Im Namen des Vaters und des Sohnes und des Heiligen Geistes. Amen.

Beim Kreuz:

O Gott, merke auf meine Hilfe.
Herr, eile mir zu helfen!
Ehre sei dem Vater und dem Sohn und dem Heiligen Geist …
Göttliches Kind, erbarme dich unser!

Bei den drei Perlen:

Vater unser … für Vater Josef
Vater unser … für Mutter Maria
Vater unser … für das Jesuskind

Bei den zwölf Perlen:

Die zwölf Geheimnisse und Gebete auf den nachfolgenden Seiten

Zum Abschluss:

Ehre sei dem Vater …

Die Gebete in ganzer Form findet ihr hinten im Anhang des Büchleins.

1. DIE VERKÜNDIGUNG

Maria war ein einfaches Mädchen aus Nazareth, das Gott von ganzem Herzen liebte. Da trat eines Tages ein Engel zu ihr und sprach: „Sei gegrüßt, Maria, du bist voll der Gnade, der Herr ist mit dir. Fürchte dich nicht, du wirst ein Kind bekommen, einen Sohn, er wird der Messias sein, der Retter der ganzen Menschheit. Ihm sollst du den Namen Jesus geben!" Maria sprach: „Siehe, ich bin die Magd des Herrn, mir geschehe nach deinem Wort!" (nach Lk 1,35-38)

Was für ein Wunder – das größte Wunder aller Zeiten: Gott, der Allmächtige, wird ein Mensch, um uns zu retten.

Vater im Himmel, wir wollen auch JA sagen und das tun, was dir gefällt. Schenk uns den kleinen Jesus ins Herz.

Gegrüßet seist du, Maria …
Heilige Maria, Mutter Gottes …
Und das Wort ist Fleisch geworden und hat unter uns gewohnt.

2. DIE HEIMSUCHUNG – MARIA BESUCHT ELISABETH

Der Engel erzählte Maria noch etwas Wunderbares: Ihre Base Elisabeth würde noch im hohen Alter ein Kind zur Welt bringen. Da eilte Maria sofort ins Bergland von Judäa, um sie zu besuchen. Als die beiden Frauen sich begrüßten, da hüpfte das Kind vor Freude im Bauch von Elisabeth, und sie rief, vom Heiligen Geist erfüllt: „Gesegnet bist du unter allen Frauen, und gesegnet ist die Frucht deines Leibes. Wer bin ich, dass die Mutter meines Herrn zu mir kommt?" (nach Lk 1,39-41)

Maria ist die Frau voll der Gnade, voller Liebe und Güte. Sie ist die liebste aller Mütter – und auch unsere Mutter – das hat Jesus am Kreuz gesagt. Sie zögert nie, zu ihren Kindern zu eilen, und ihre größte Freude ist es, uns den kleinen Jesus zu bringen.

Vater im Himmel, danke, dass du uns so eine liebe Mutter geschenkt hast.

Gegrüßet seist du, Maria …
Heilige Maria, Mutter Gottes …
Und das Wort ist Fleisch geworden und hat unter uns gewohnt.

3. DIE GEBURT JESU

Als Maria und Josef auf Befehl des Kaisers Augustus nach Bethlehem gingen, war in der Herberge kein Platz für sie frei; in einem alten Stall mussten sie übernachten. Und dort kam das Jesuskind zur Welt, in Dunkelheit, Kälte und Armut. Doch wie glücklich waren Maria und Josef! Sie wickelten es in Windeln und legten es in eine Futterkrippe, ganz nahe bei Ochs und Esel, die es mit ihrem Atem wärmten. (nach Lk 2,4-7)

Er ist geboren, der Sohn Gottes! So klein, so zart, und er braucht Liebe und Zuwendung wie alle Kinder auf der ganzen Welt.

Vater im Himmel, wir wollen Jesus von Herzen liebhaben. Hilf du allen Kindern, denen es nicht gut geht auf dieser Welt.

Gegrüßet seist du, Maria …
Heilige Maria, Mutter Gottes …
Und das Wort ist Fleisch geworden und hat unter uns gewohnt.

4. DIE ANBETUNG DER ENGEL UND HIRTEN

In dieser Nacht waren Hirten auf dem Felde bei ihren Schafen. Plötzlich wurde es ganz hell, ein Engel erschien ihnen am Himmel und sprach:
„Fürchtet euch nicht! Heute Nacht ist euch der Heiland geboren, der Retter der Welt, der Friedenskönig! Ihr findet ihn in einem Stall, in Windeln gewickelt, in einer Krippe liegend." Und plötzlich kamen ganz viele Engel vom Himmel, sie jubelten und lobten Gott, den Herrn. Die Hirten machten sich auf, um den neugeborenen Heiland zu finden. (nach Lk 2,8-20)

Weihnachten – das große Fest! Auf Erden und im Himmel wird dieses Ereignis niemals vergessen werden. Und alle Engel und alle Menschen guten Willens werden sich in Ewigkeit vor diesem Kind verneigen.

Vater im Himmel, wir beugen unsere Knie vor dem göttlichen Kind.

Gegrüßet seist du, Maria …
Heilige Maria, Mutter Gottes …
Und das Wort ist Fleisch geworden und hat unter uns gewohnt.

5. DIE BESCHNEIDUNG

Acht Tage nach seiner Geburt wurde das Kind beschnitten. Und sie gaben ihm den Namen Jesus, so wie ihn schon der Engel bei der Verkündigung genannt hatte. (nach Lk 2,21)

Die Beschneidung der Jungen ist ein Gesetz für die gläubigen Juden und bedeutet: Dieses Kind ist nun aufgenommen in den Bund, den Gott mit dem Volk Israel geschlossen hat. Die Christen aller Welt bekamen später ein anderes Zeichen dafür, dass sie Kinder Gottes sind: die heilige Taufe. Jesus, der Sohn Gottes, hat sich demütig unter das Gesetz von damals gestellt. Er hat bei der Beschneidung das erste Mal sein Blut für uns vergossen, auch für die Sünden der Unreinheit, die an unschuldigen Kindern verübt werden.

Vater im Himmel, vergib ihnen, denn sie wissen nicht was sie tun.
(nach Lk 23,34)

Gegrüßet seist du, Maria …
Heilige Maria, Mutter Gottes …
Und das Wort ist Fleisch geworden und hat unter uns gewohnt.

6. DIE AUFOPFERUNG IM TEMPEL

Maria und Josef brachten den kleinen Jesus zum Tempel in Jerusalem, um ihn dem himmlischen Vater darzubringen, so wie es vorgeschrieben war.
In Jerusalem lebte ein alter Mann, Simeon, der war sehr fromm und wartete sehnsüchtig auf den Messias. Gott hatte ihm versprochen, er werde nicht sterben, bis er den Messias gesehen habe. An diesem Tag wurde er vom Heiligen Geist zum Tempel geführt. Als er Maria und Josef mit dem Kind sah, begann er mit lauter Stimme, Gott zu preisen, und durfte den kleinen Jesus in die Arme nehmen. Auch Hanna, eine betagte Witwe, erkannte in ihm den Sohn Gottes, den Erlöser der Welt. (nach Lk 2,22-39)

Maria gibt uns allen Jesus. Er will uns so nahe sein, das können wir uns nicht vorstellen. Wenn wir die heilige Kommunion empfangen, ist dies auf besondere Weise möglich.

Vater im Himmel, danke, dass du in deinem Sohn zu uns kommst.

Gegrüßet seist du, Maria …
Heilige Maria, Mutter Gottes …
Und das Wort ist Fleisch geworden und hat unter uns gewohnt.

7. DIE ANBETUNG DER WEISEN

Von weither aus dem Morgenland machten sich drei vornehme, weise Sterndeuter auf, den neugeborenen König der Könige zu suchen. Sie hatten nämlich die Sterne beobachtet und einen ganz besonderen Stern aufgehen sehen.
Aber sie fanden das Kind nicht im Palast von König Herodes in Jerusalem. Der Stern führte sie weiter nach Bethlehem und stand dann still über dem Ort, wo das Kind war. Sie brachten ihm kostbare Geschenke, fielen nieder auf die Knie und beteten es an. (nach Mt 2,1-2; 9-11)

Einen weiten Weg in das Land Israel haben die Sterndeuter auf sich genommen, denn sie erkannten an den Zeichen der Natur, den Sternen: Dort ist etwas Außergewöhnliches geschehen, das die Welt verändert.

Vater im Himmel, hilf uns, wachsam zu sein und deine Zeichen zu erkennen und deinem Ruf zu folgen.

Gegrüßet seist du, Maria …
Heilige Maria, Mutter Gottes …
Und das Wort ist Fleisch geworden und hat unter uns gewohnt.

9. DER AUFENTHALT IN ÄGYPTEN

Die Heilige Familie blieb einige Jahre in Ägypten. (nach Mt 2,15)

Sie kamen in ein fremdes Land, verstanden die Sprache nicht und mussten wieder von vorn anfangen. Sie lebten arm und bescheiden. Und doch waren sie reich! Denn sie hatten Jesus, den größten Schatz. Und sie hatten sich gegenseitig lieb, auch in schweren Zeiten.

Vater im Himmel, wir beten für alle Familien. Lass sie Oasen des Friedens und der Harmonie werden. Lass sie nicht zerbrechen, sondern fest zusammenhalten und sich liebhaben in deinem Namen.

Gegrüßet seist du, Maria …
Heilige Maria, Mutter Gottes …
Und das Wort ist Fleisch geworden und hat unter uns gewohnt.

10. DIE RÜCKKEHR NACH NAZARETH

Eines Nachts in Ägypten erschien Josef wieder ein Engel im Traum, der sprach: „Josef, steh auf, nimm das Kind und seine Mutter und ziehe in das Land Israel, denn König Herodes, der das Kind töten wollte, ist gestorben." Da brach Josef mit Maria und Jesus auf und sie kehrten nach Nazareth in ihre Heimat zurück. (nach Mt 2,19-23)

Was glaubt ihr, wie sich Josef und Maria gefreut haben, als sie ihre Heimat endlich wiedersahen? Ihr kleines Haus, die Werkstatt und den Garten. Die Landschaft, ihre Freunde und Verwandten.

Vater im Himmel, bitte hilf allen, die kein schönes Zuhause haben oder die ihre Heimat verloren haben. Hilf ihnen, dir zu vertrauen. Und wir wissen, im Himmel bei dir gibt es die wunderschönsten Wohnungen, da werden wir nie mehr Heimweh haben.

Gegrüßet seist du, Maria …
Heilige Maria, Mutter Gottes …
Und das Wort ist Fleisch geworden und hat unter uns gewohnt.

11. DAS VERBORGENE LEBEN IN NAZARETH

Das Kind wuchs heran und wurde kräftig; Gott erfüllte es mit Weisheit und seine Gnade ruhte auf ihm. (nach Lk 2,40)

Über diese Zeit finden wir nicht viel in der Bibel, aber unsere Herzen ahnen es mit den Augen der Liebe. Wir wissen, Jesus wurde Zimmermann wie sein irdischer Vater. Und Josef war gewiss ein sehr guter und geduldiger Lehrmeister.
Maria war ja im Tempel aufgewachsen und konnte Jesus unterrichten.
Gottes Sohn wollte aufwachsen wie alle anderen Kinder auch. Und doch konnte man sicher besonders seine große Liebe zu jedem Menschen und zur ganzen Schöpfung spüren.

Vater im Himmel, Jesus ist Gott und Mensch zugleich. Danke für dieses Wunder, das wir nie ganz fassen können.

Gegrüßet seist du, Maria …
Heilige Maria, Mutter Gottes …
Und das Wort ist Fleisch geworden und hat unter uns gewohnt.

12. DIE WIEDERAUFFINDUNG IM TEMPEL

Als Jesus zwölf Jahre alt war, pilgerte die Heilige Familie wie jedes Jahr am Pessachfest nach Jerusalem. Auf dem Heimweg merkten Maria und Josef, dass Jesus in Jerusalem zurückgeblieben war. Sie kehrten um und suchten ihn überall. Endlich fanden sie ihn nach drei Tagen im Tempel, wo er mit den Gelehrten über Gott und die Heilige Schrift sprach.
Alle, die ihn hörten, staunten über seine Antworten und seine Weisheit.
(nach Lk 2,41-52)

Maria verstand in ihrem Herzen: Ich kann Jesus nicht immer für mich behalten. Es wird eine Zeit kommen, da wird er aufbrechen und den Willen des Vaters tun, so wie es geschrieben steht. Doch jetzt kehrte Jesus als folgsamer Sohn mit seinen Eltern nach Nazareth zurück und blieb dort, bis er dreißig Jahre alt war.

Vater im Himmel, bitte hilf uns, dir und deinen Geboten immer treu zu sein, auch wenn uns das manchmal schwer und unverständlich scheint. Wir vertrauen dir, du hast wichtige Pläne mit uns und wirst uns einst überreich beschenken.

Gegrüßet seist du, Maria …
Heilige Maria, Mutter Gottes …
Und das Wort ist Fleisch geworden und hat unter uns gewohnt.

Gebete im kleinen Rosenkranz zum Prager Jesuskind

Ehre sei dem Vater

Ehre sei dem Vater und dem Sohn und dem Heiligen Geist, wie es war im Anfang, so auch jetzt und allezeit und in Ewigkeit. Amen.

Vater unser

Vater unser im Himmel, geheiligt werde dein Name, dein Reich komme, dein Wille geschehe, wie im Himmel so auf Erden. Unser tägliches Brot gib uns heute und vergib uns unsere Schuld, wie auch wir vergeben unseren Schuldigern, und führe uns nicht in Versuchung, sondern erlöse uns von dem Bösen.

Gegrüßet seist du, Maria

Gegrüßet seist du, Maria, voll der Gnade, der Herr ist mit dir, du bist gebenedeit (gesegnet) unter den Frauen und gebenedeit ist die Frucht deines Leibes, Jesus.

Heilige Maria, Mutter Gottes

Heilige Maria, Mutter Gottes, bitte für uns Sünder, jetzt und in der Stunde unseres Todes. Amen.

Nachwort

Ein großer Verehrer des Prager Jesuskindes war Papst Benedikt XVI. Im Jahr 2009 machte er eine Reise nach Tschechien und besuchte dort am 26. September in Prag die Statue des kindlichen Himmelskönigs. Er kniete nieder, betete innig und krönte das Prager Jesuskind mit einer wunderschönen Krone. Ein Auszug aus der Ansprache des Heiligen Vaters soll am Ende dieses Büchleins stehen. Möge der kleine Rosenkranz verbreitet werden, um die Herzen zu berühren und zu entflammen für das Jesuskind und alle seine geliebten Kleinen.

„Die Figur des Jesuskindes lässt uns mit der Zartheit seiner Kindheit auch die Nähe Gottes und seine Liebe verspüren. Wir verstehen, wie kostbar wir in seinen Augen sind, denn gerade durch Jesus sind wir unsererseits Kinder Gottes geworden. Jeder Mensch ist Kind Gottes und darum unser Bruder, und als solcher muss er angenommen und geachtet werden. Möge unsere Gesellschaft doch diese Wirklichkeit verstehen! Dann würde jeder Mensch nicht für das geachtet, was er hat, sondern für das, was er ist, denn im Antlitz jedes Menschen scheint ohne Unterschied der Rasse oder Kultur das Bild Gottes auf. Das gilt vor allem für die Kinder. Im Prager Jesulein betrachten wir die Schönheit der Kindheit und die Vorliebe, die Jesus Christus immer für die Kleinen gezeigt hat, wie wir im Evangelium lesen (vgl. Mk 10,13-16). Wie viele Kinder werden hingegen nicht geliebt, nicht angenommen und nicht geachtet! Wie viele sind Opfer der Gewalt und jeder Art von Ausbeutung durch skrupellose Menschen! Den Kleinen möge jene Achtung und jene Aufmerksamkeit zukommen, die ihnen gebührt: Die Kinder sind die Zukunft und die Hoffnung der Menschheit."
(Benedikt XVI.)